POLI
E I MOSTRI

www.battelloavapore.it

Titolo originale: Well I never!
© 1988 Heather Eyles per il testo
© 1996 Tony Ross per le illustrazioni

Apparato a cura di: Elàstico

I Edizione 1999
Nuova edizione 2009

© 2009 - **EDIZIONI PIEMME** Spa, Milano
www.edizpiemme.it

Stampa: Mondadori Printing S.p.A. - Stabilimento di Verona

Heather Eyles

POLLY E I MOSTRI

Traduzione di
Luis de Luis

Illustrazioni di
Tony Ross

PIEMME

ERA LUNEDÌ MATTINA, ORA DI ANDARE
A SCUOLA.
MA, COME AL SOLITO, POLLY NON ERA
ANCORA VESTITA.

– VAI A PRENDERE LA MAGLIETTA! –
DISSE LA MAMMA. – È NELLA TUA
CAMERA.

– NON POSSO ENTRARCI – DISSE
POLLY. – C'È DENTRO UNA STREGA
BRUTTISSIMA!
– CHE SCIOCCHEZZE! – DISSE
LA MAMMA.

– E I TUOI PANTALONI SONO
NEL BAGNO – AGGIUNSE LA MAMMA.

– NON CI POSSO ENTRARE! – DISSE
POLLY. – NEL BAGNO C'È UN VAMPIRO.
– E DAI!

9

– A PROPOSITO, – CONTINUÒ
LA MAMMA – I TUOI CALZINI SONO
SULLE SCALE…

– MA IO NON CI POSSO SALIRE! –
DISSE POLLY. – HO VISTO LÌ
UN LUPO MANNARO.
– QUANTE STORIE! – SBUFFÒ LA MAMMA.

– NON DIMENTICARE CHE LE TUE
SCARPE SONO NELLO SGABUZZINO
SOTTO LE SCALE – DISSE ANCORA
LA MAMMA.

– NON CI ANDRÒ MAI! – RISPOSE POLLY.
– DENTRO LO SGABUZZINO
C'È UN FANTASMA.
– FIGURATI! – CONCLUSE LA MAMMA.

ALLORA LA MAMMA
DECISE DI ANDARE
LEI A PRENDERE
I VESTITI.

– ROSPI E LUMACHE! –
STRILLAVA LA STREGA,
CHE SI TROVAVA
BELLISSIMA CON LA
MAGLIETTA DI POLLY.

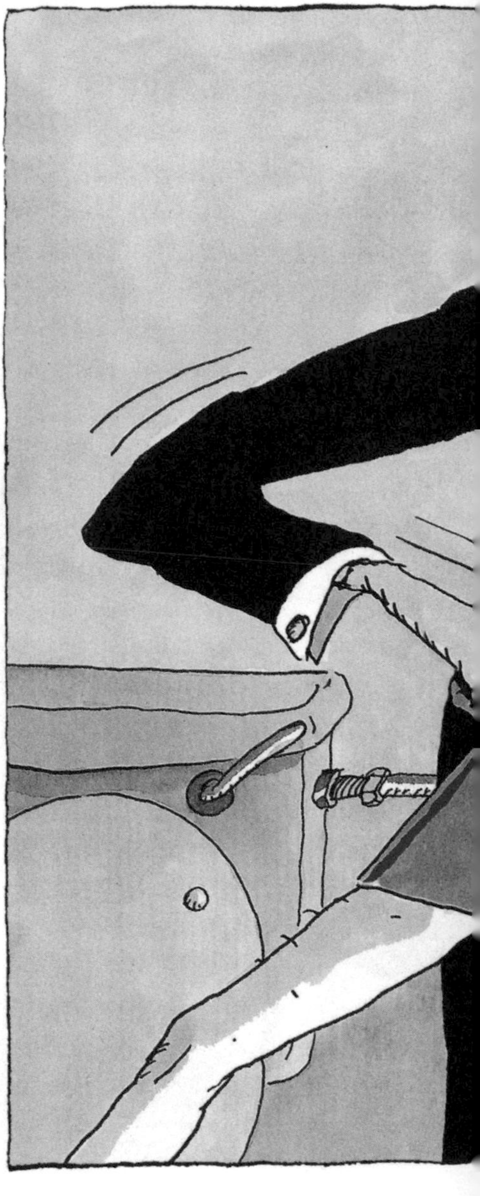

– UHM,
CHE VITA SOTTILE
CHE HA QUESTA
RAGAZZINA! –
MORMORAVA
IL VAMPIRO, CHE
SI STAVA GIUSTO
PROVANDO
I PANTALONCINI
DI POLLY.

– GRRR! – RINGHIAVA
IL LUPO MENTRE SI
PULIVA I DENTI CON
I CALZINI DI POLLY.

IL FANTASMA NON
DICEVA NIENTE.
NIENTE DI NIENTE.
MA BALLAVA UNA
DANZA SPETTRALE
NELLE SCARPE
DI POLLY.

LA MAMMA TORNÒ
DI GRAN CORSA IN CUCINA: – AHI, AHI,
CHE MOSTRI TERRIBILI!

– STAI SCHERZANDO, VERO, MAMMA? –
DISSE POLLY.

– IO, SCHERZANDO?

– NON È VERO CHE È PIENO DI MOSTRI
LÀ FUORI – DISSE POLLY.

– NON È VERO? – RIPETÉ LA MAMMA.

ALLORA, TUTT'E DUE INSIEME,
ANDARONO A DARE UN'OCCHIATA
NELLO SGABUZZINO...

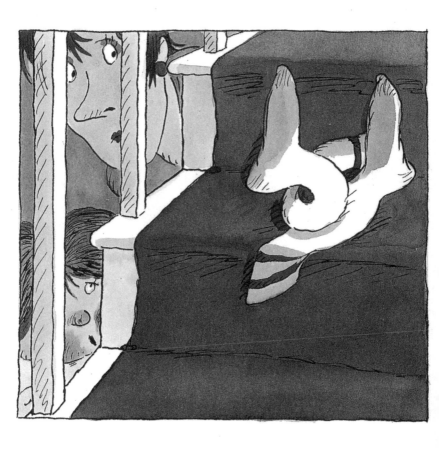

…SULLE SCALE…

…NEL BAGNO…

...E IN CAMERA DA LETTO.

– MA…! – COMINCIÒ A DIRE LA MAMMA.

– TE L'AVEVO DETTO – DISSE POLLY. – E
ADESSO, SE NON TI DISPIACE, PENSO
PROPRIO CHE DOVREI VESTIRMI
E ANDARE A SCUOLA.

E ORA...

...GIOCA CON NOI!

AGUZZA LA VISTA!

TROVA LE CINQUE DIFFERENZE
TRA I DUE DISEGNI.

QUALE MOSTRO STA IMITANDO?

COLLEGA OGNI IMITAZIONE DI POLLY
AL MOSTRO CORRISPONDENTE.

Ti è piaciuto questo libro?
Allora puoi leggere anche:

Anna Lavatelli
Supermamma

– Mai fidarsi delle apparenze! Forse la mia mamma ti sembrerà come tutte le altre, invece ha più poteri di Superman! È super-simpatica e super-furba, ha i super-riflessi e un super-udito... Ma attenzione: quando si arrabbia, anche le sue sgridate sono super!

Maria Vago
Mostri a colazione?

Quanti pericoli deve affrontare Filippo! Mentre fa colazione viene travolto da onde gigantesche, in bagno approda un terribile pirata e nella sua camera si nasconde una bruttissima strega... Per non parlare poi dei terribili robot divora-bambini che camminano per strada!

Roberto Pavanello
Guarda che chiamo l'Uomo Nero!

– Mangia la minestra altrimenti arriva l'Uomo Nero! – grida la mamma a Filippo. Ma come sarà questo terribile mostro? Avrà i capelli neri come serpenti, gli occhi come due olive e le orecchie come due pipistrelli? E sarà davvero così cattivo come dicono i grandi?!

Simone Frasca
I facoceri fanno le...

L'elefantino Giulio è arci-contento: sta per cominciare la scuola e non vede l'ora di farsi nuovi amici! Ma la mamma e il papà lo mettono in guardia: le scimmie sono ladre, i formichieri dei gran ficcanaso e i rinoceronti, con quei corni sul naso, bucano il sedere! Ma sarà proprio così?

Erminia Dell'Oro
La maestra ha perso la pazienza!

Dove sarà finita la pazienza della maestra? Forse l'ha mangiata il gatto, o il cane del custode, o l'orco che vive nel buco del muro... I bambini la cercano dappertutto. Che guaio se non la trovano: la maestra non leggerà più le storie in classe!